MINI CURIOSOS MONTAM O corpo humano

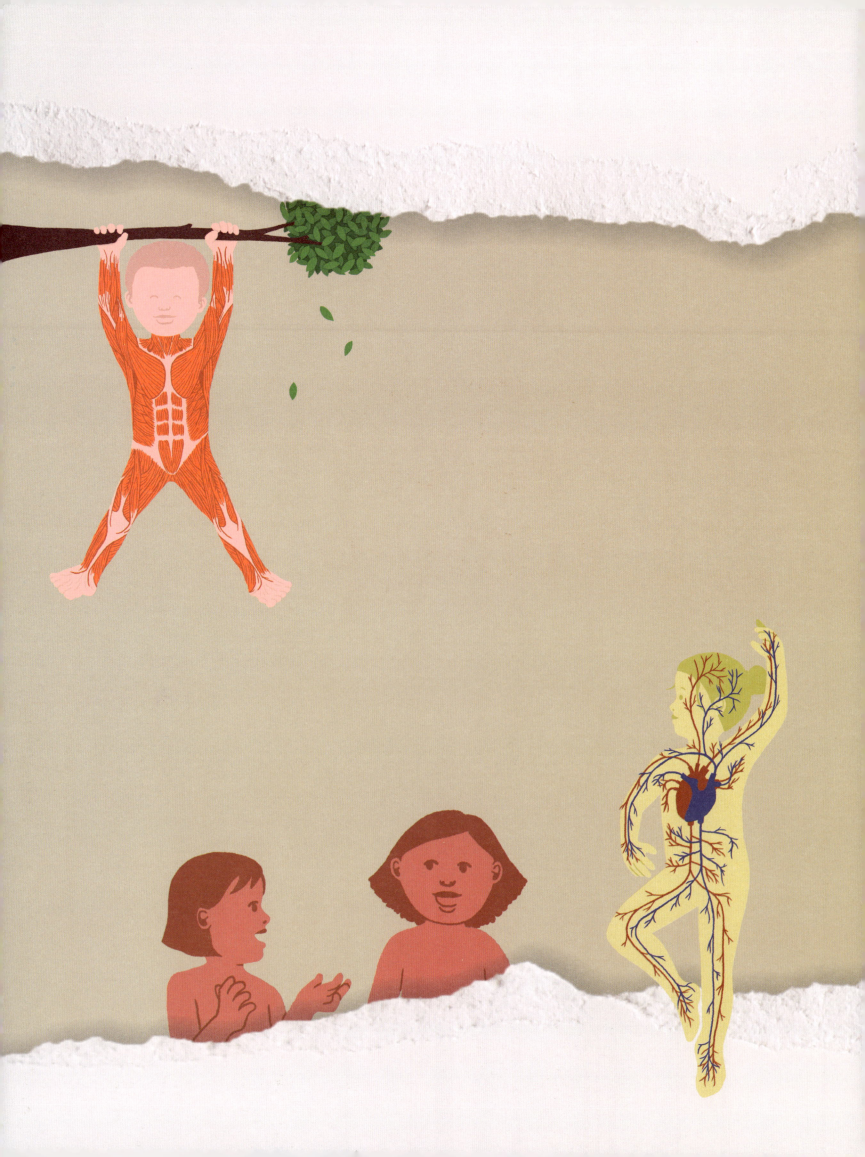

Mini curiosos montam O corpo humano

Clarice Uba

Ilustrações:
Lorota

Toy Art:
Marcos Paulo Drumond

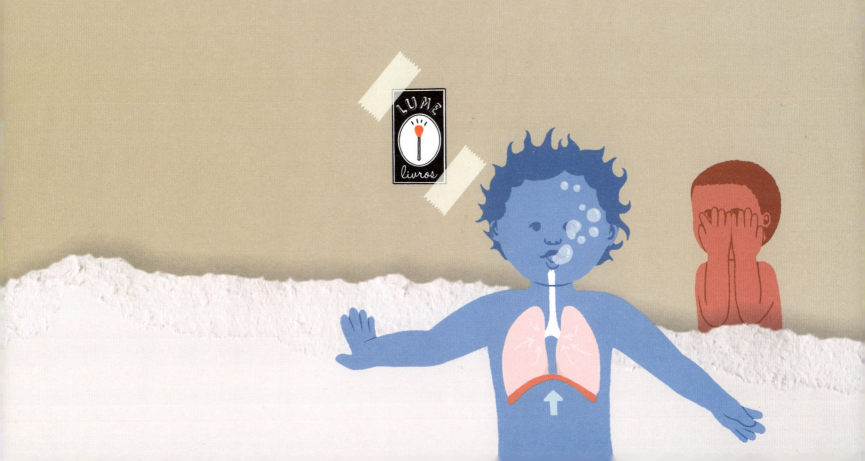

ÍNDICE

Todo mundo se mexe 6
Todo mundo respira 8
Todo mundo tem sangue 10
Todo mundo come 12
Todo mundo pensa 14

VAMOS MONTAR!

instruções 16
modelo para montar 21

Você já parou para pensar em como o seu corpo é esperto?

A todo instante o seu corpo está trabalhando e fazendo um montão de coisas diferentes: pensando, carregando você, digerindo sua comida e, na maioria do tempo, você nem deve pensar sobre ele. Mas o corpo é incrível pra valer!

Ele é todinho feito de minipedacinhos de você chamados **células**, que se juntam para fazer seus olhos, seu cabelo, seus ossos, seus órgãos (como o coração batendo no seu peito agora) e muito, muito mais.

Por isso, neste livro, você vai conhecer um pouquinho mais sobre você mesmo e descobrir como algumas coisas no seu supercorpo funcionam. Depois, com a ajuda da família ou dos amigos, você pode montar um modelo de um corpo parecido com o seu.

Vamos começar?

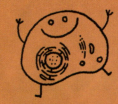

todo mundo se mexe

Se você ficar de pé agora, o que segura você no lugar?

Não é a sua pele, que é bem molinha: são seus músculos e ossos que trabalham juntos para você se mexer, correr, ler, brincar e até para fazer coisas em que você nem pensa, como respirar.

Os ossos são durinhos e você tem muitos deles: alguns bem pequenininhos (você tem ossos dentro do seu ouvido!) e outros enormes, como o osso dentro da sua coxa.

Eles funcionam como uma armadura dentro de você para proteger partes e órgãos delicados. Os ossos também dão a forma do seu corpo – sem eles a gente seria só uma geleca caída no chão.

Os seus músculos são o que fazem você se mexer. Tem músculo no corpo inteiro! Se você está lendo este livro agora é porque tem músculos que mexem os seus olhos de um lado para o outro.

Cada músculo é mais ou menos como um elástico ao contrário: ele fica relaxado em uma posição, mas você pode fazer força para contrair (apertar) o músculo.

CONTRAÍDO

Alguns dos músculos mais fáceis de ver estão no seu braço. Se você esticar o braço retinho e dobrar o cotovelo, dá para ver que um "montinho" aparece: isso acontece porque você contraiu (puxou) um grupo de músculos para fazer este moviento.

Além dos músculos que você controla, tem muitos outros que trabalham sozinhos sem você nem pensar: eles que mexem o seu estômago, por exemplo. O seu coração também é um músculo que você não controla, ele que manda sangue para todo o seu corpo, todos os dias, sem parar nem quando você dorme.

RELAXADO

todo mundo respira

Respirar é tão importante que seu corpo faz isso o tempo todo sem parar, porque é pela respiração que a gente joga **oxigênio** para dentro do corpo. Oxigênio é um gás que está no ar e que as nossas células precisam para transformar tudo o que a gente come em energia, que faz novas células e que faz a gente se mexer e pensar.

Como a gente precisa muito do oxigênio, o nosso corpo tem todo um sistema só para pegá-lo do ar e jogar no sangue. Nós fazemos isso respirando e, para respirar, nós usamos órgãos especiais chamados **pulmões**.

Puxe o ar beeem fundo e segure um pouquinho – uma parte do seu peito ficou maior, não é? São seus pulmões inchados de ar. Quando você solta o ar, os pulmões ficam vazios outra vez e seu peito, menor. Esse incha e desincha é a **respiração**.

Em cada respirada o ar faz um caminho enorme, que começa no seu nariz e acaba dentro do pulmão, e cada pedaço desse caminho é importante. A meleca e os pelinhos do nariz são um filtro que tira sujeiras e bichinhos do ar. Do nariz até o pulmão, o ar fica mais quente e mais úmido (meio molhado) para ficar mais fácil tirar o oxigênio dele.

isso é um alvéolo.

E mesmo dentro do pulmão, o caminho do ar ainda não acabou!

Cada pulmão é cheio de minibexiguinhas com paredes bem fininhas (os **alvéolos**). O ar enche cada uma dessas bexigas e o nosso sangue, que está passando do outro lado do alvéolo, puxa o oxigênio do ar e manda o gás carbônico (que a gente faz, mas não precisa) para fora do corpo.

todo mundo tem sangue

Se você já fez um corte, deve ter visto uma aguinha grudenta e vermelha saindo do machucado. Você deve até saber que isso chama **sangue**, mas você sabe tudo que o seu sangue faz por você?

Todos os bichos **multicelulares** (com mais de uma célula – nós somos multicelulares também!) têm alguma coisa parecida com sangue para levar comida para todas as células do corpo e para recolher o lixo que elas produzem.

Esses bichos aqui são multicelulares!

O nosso sangue é feito de um montão de células: a maior parte delas são **hemácias,** que dão a cor vermelha do sangue e que são responsáveis por pegar o oxigênio do pulmão e levar para o corpo todo.

Outras células que estão no sangue e que são superimportantes pra gente são os **glóbulos brancos** – elas que nos protegem de vírus, micróbios e outras coisas que podem nos deixar doentes.

Agora, pense só em quantas células você deve ter: elas são tão pequenininhas que nem dá para ver, e cada pedacinho seu é feito de milhões delas. Como o sangue faz para chegar em todas elas, do alto da sua cabeça até a pontinha do seu dedinho do pé?

Dentro do nosso corpo inteiro tem um monte de tubinhos chamados **veias** e **artérias** – alguns tão fininhos quanto um fio de cabelo. O sangue viaja pelo corpo todo dentro deles.

Bem no meio dessas estradas de veias e artérias fica o seu **coração**. Você sabe onde ele está? Coloque a mão no seu peito, um pouquinho para a esquerda, e você vai sentir uma batida vinda lá de dentro – esse é o seu coração e ele é muito, mas muito forte.

Com essa força toda ele empurra o sangue para fora com pressão suficiente para dar uma volta toda no corpo!

todo mundo come

Comer é gostoso porque a gente precisa muito da comida, é dela que nosso corpo tira energia para funcionar. Sem comida, ninguém dura muito tempo.

Cada tipo de alimento ajuda o nosso corpo de um jeito diferente, por isso, é importante comer um monte de coisas diferentes e coloridas.

Tudo o que a gente come passa por um conjunto de órgãos chamados de **sistema digestório**, que são como um tubo superlongo que começa na boca e acaba no ânus, o buraquinho por onde sai o cocô. Cada pedaço desse tubão tem um trabalho diferente, para a gente aproveitar o melhor de tudo que come.

Esse trabalho começa já na boca, é importante mastigar bem porque o nosso corpo tem que quebrar a comida em pedacinhos minúsculos para aproveitar bem tudo o que eles têm de bom.

Da boca, a comida mastigada vai para o estômago, que é como uma bexiga cheia de ácido embalada em músculos fortes que fazem ela se mexer e apertar a comida para ficar ainda mais dissolvida.

Depois sua comida vai para os intestinos. O primeiro é o **intestino delgado**, que é enorme: se desse para esticar o intestino, ele seria maior do que um carro. Ali o que tem de bom na comida é absorvido para alimentar todas as células do corpo.

O segundo intestino se chama **intestino grosso** e ele absorve a água que estava misturada na comida. Nesse intestino também vivem milhares de bactérias, bichinhos bem pequenininhos que ajudam a quebrar qualquer coisa de bom que ainda exista nessa papa que era a comida, para ser absorvida também. Nosso corpo é meio pão duro e não gosta de desperdiçar nada.

Depois desse caminho todo, o que sobrou é um bolinho marrom e fedido, que a gente chama de cocô e que sai do corpo pelo ânus.

todo mundo pensa

Se você fechar a sua mão agora, quem faz isso acontecer? Seus músculos é que se mexem, mas como eles sabem quando trabalhar? E como a ordem "fechar a mão" sai tão rápido da sua cabeça até a sua mão?

Quem carrega a mensagem é o **sistema nervoso**, uma rede enorme de células especiais chamadas **neurônios**, que passam por todo o corpo e produzem eletricidade.

Um neurônio na ponta do seu dedo que sentiu dor, por exemplo, produz um choque elétrico que ativa outro neurônio conectado com ele, que ativa o próximo, que ativa mais um até chegar no seu **cérebro** ou na sua **medula espinhal**, que são nossas centrais de controle.

neurônio

O seu cérebro mora dentro da sua cabeça e é o órgão mais incrível que nós temos. Ele é feito de bilhões de neurônios – tem bem mais neurônios na sua cabeça do que pessoas no mundo. Ele cuida de um monte de coisas, desde fazer o corpo funcionar até fazer você aprender e sonhar.

A medula fica dentro da sua espinha dorsal, que é a linha de ossinhos nas suas costas. Ela é ligada no seu cérebro e, entre outras coisas, cuida do que tem que funcionar rápido ou o tempo todo, como seu coração bater ou você tirar a mão de alguma coisa que está muito quente e que pode queimar.

Todas essas partes se comunicam entre si o tempo todo de maneiras tão complicadas que mesmo hoje em dia a gente ainda tem muito para aprender sobre o cérebro. O que se sabe é que de todos os bichos no mundo nenhum tem um cérebro tão especial quanto o nosso.

vamos montar!

Aqui está uma lista do que você vai precisar para montar seu modelo do corpo humano!

(E não esqueça de pedir uma ajudinha para algum adulto amigo.)

você vai precisar de:

BASTANTE CURIOSIDADE!
isso você já tem, né?

cola transparente ou cola branca.

um palito de churrasco ou de fazer unha, sem a ponta (é só bater a ponta no chão).

Canetas, canetinhas, lápis de cor e o que mais quiser usar para decorar o modelo.

um papel (ou revista, ou jornal velhos) para proteger a mesa ou o chão.

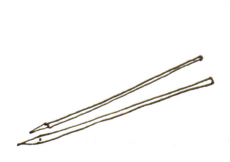
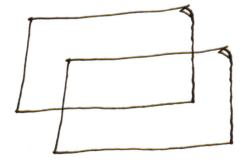

Você vai montar um modelo do corpo humano em várias camadas – a primeira é a pele, a segunda são os músculos e a terceira, os ossos e órgãos que você viu no livro.

Mas esse modelo é um pouco diferente porque, além de uma "pele" pronta e colorida, também tem uma toda em branco, para você pintar como quiser! Pode ser você, pode ser um amigo ou pode ser uma pessoa que não existe e que você criou.

Se quiser, faça um teste neste boneco aqui antes de pintar o modelo final.

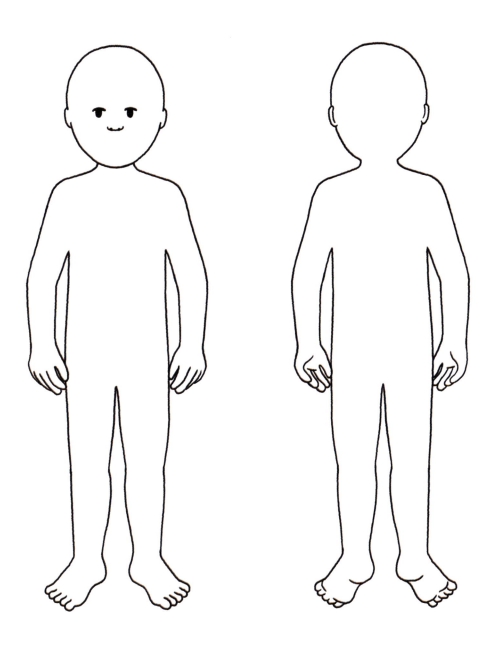

17

Tudo pronto para começar!

Siga estes passos na ordem para dar tudo certo:

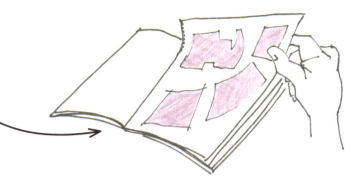

1. Cada parte do modelo vem em uma página mais ou menos assim. Comece destacando a página que você vai montar.

2. Depois, você vai destacar as peças da página. Você vai ver que onde tem que dobrar já está mais molinho. Reforce um pouco essas dobras, vai ajudar na hora de colar.

(antes de montar a peça F, pinte do jeito que achar melhor!)

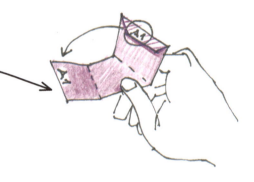

3. Dos dois lados das peças que você separou tem letras com números. Cole o A1 da frente no A1 do verso e continue dessa forma — A2 com A2, A3 com A3 — até a sua peça estar montadinha.

(não esqueça de proteger a mesa com aquele papel!)

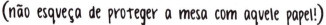

 Dica! Quando você colar duas abas da peça, segure-as juntas até a cola secar bem, e só aí passe para as próximas abas.

4. Você vai notar que as peças A e B não fecham, elas são "janelas" que serão coladas na peça C por essas abas marcadas, **A+C 1** e **B+C 1**. Na peça C também tem a mesma marcação, e você vai colar umas nas outras, mas tem uma ordem certa! — veja na página ao lado.

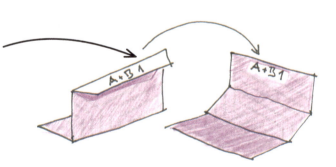

 Dica! Conforme você for fechando a sua peça, pode ficar difícil manter as abas juntas enquanto a cola seca — use o seu palito para alcançar essas abas mais escondidinhas.

para juntar tudo:

Com todas as peças montadas, é só encaixar uma dentro da outra e seu modelo está pronto!

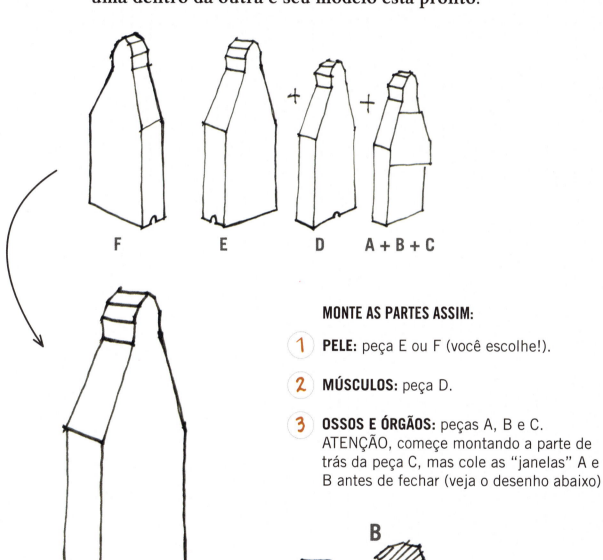

MONTE AS PARTES ASSIM:

1. **PELE:** peça E ou F (você escolhe!).

2. **MÚSCULOS:** peça D.

3. **OSSOS E ÓRGÃOS:** peças A, B e C. ATENÇÃO, começe montando a parte de trás da peça C, mas cole as "janelas" A e B antes de fechar (veja o desenho abaixo)

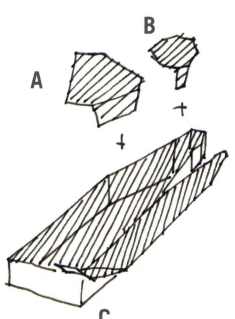

20

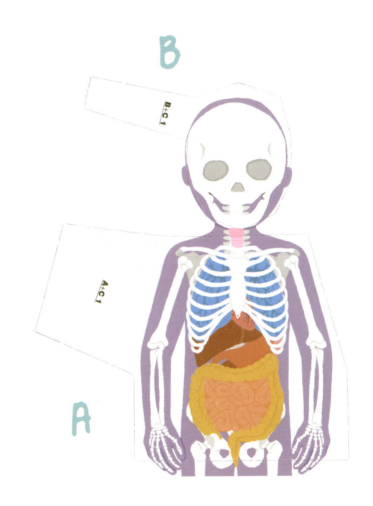

23

C4

C13

C3

B+C1

C14

C2

A+C2

C1

C15

C16

C17

C5

C12

C6

C11

C7

C10

C8

C09

A+C1

C

24

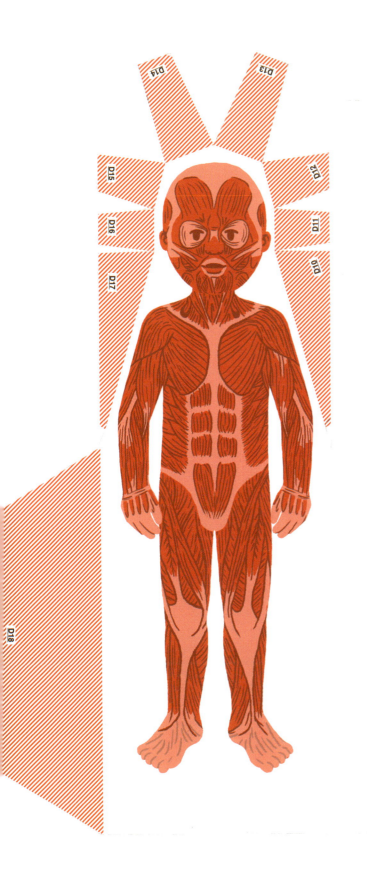
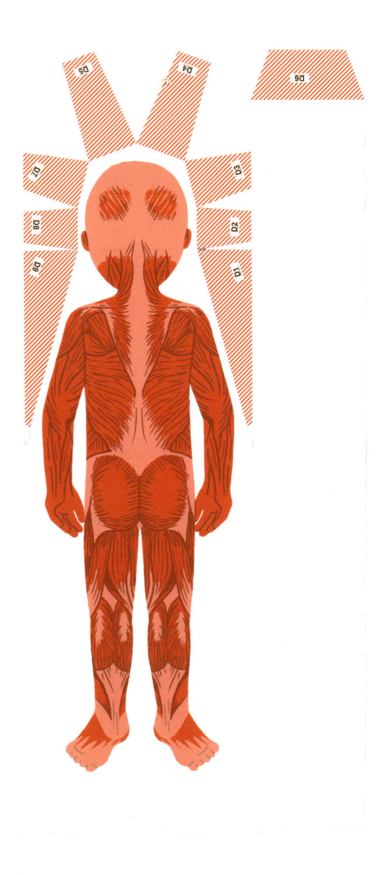

D5

D14 D4 D6 D13

D15 D3 D7 D12

D16 D2 D8 D11

D1 D9 D10

D17

D18

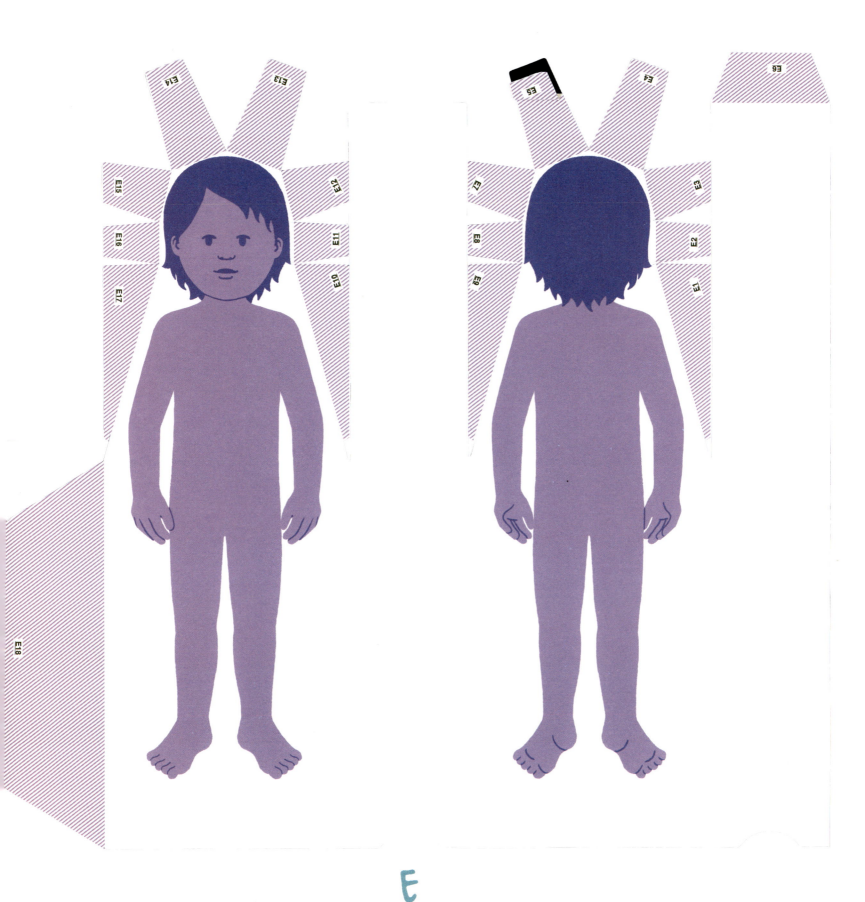

E

E5

E14   E4   E6   E13

E15   E3   E7   E12

E16   E2   E8   E11

E17   E1   E9   E10

E18

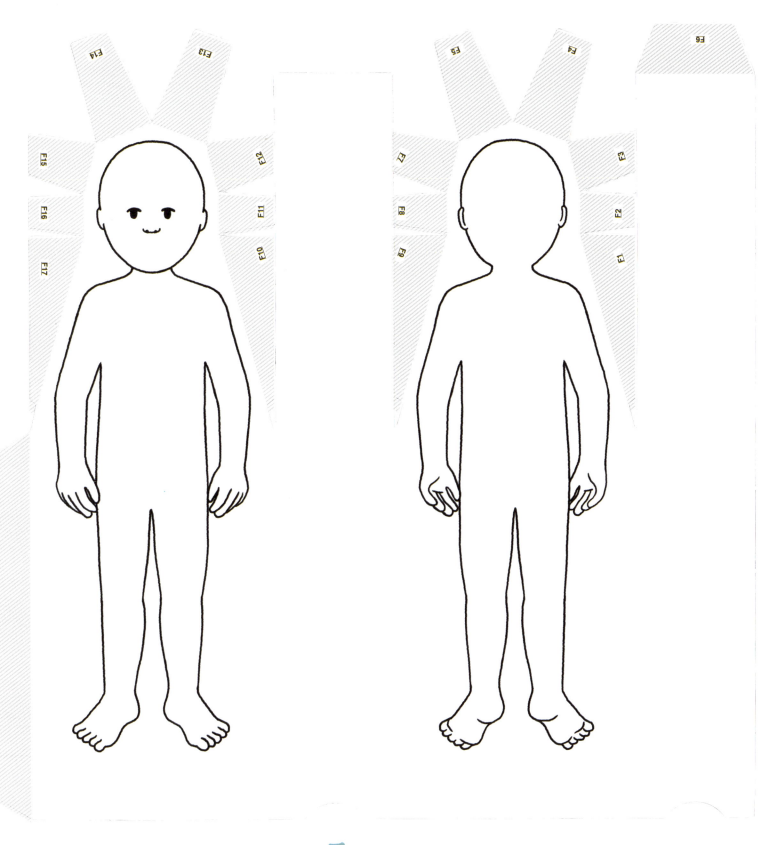

F

F5

F14   E4   F6   F13

F15   E3   F7   F12

F16   E2   F8   F11

F17   E1   F9   F10

F

F18

30

Copyright © 2017

Texto: Clarice Uba
Ilustrações: Lorota
Toy Art e instruções: Marcos Paulo Drumond
Projeto gráfico e diagramação: Ainá Calia
Capa: Ainá Calia e Lorota
Revisão de texto: Daniela Marini Iwamoto

Dados Internacionais de Catalogação na Publicação - CIP
___

U12

Uba, Clarice
Mini curiosos montam o corpo humano / Clarice Uba. Ilustração de Lorota.
Toy Art de Marcos Paulo Drumond. – São Paulo: Lume Livros, 2017. (mini curiosos montam)
32 p.; Il.

ISBN 978-85-919672-8-5

1.Corpo Humano. 2. Homem. 3. Literatura Infanto-Juvenil. 4. Sistemas do Corpo Humano. 5. Funcionamento do Corpo. I. Título. II. O corpo humano. III. Série. IV. Todo mundo se mexe. V. Todo mundo respira. VI. Todo mundo tem sangue. VII. Todo mundo come. VIII. Todo mundo pensa. IX. Uba, Clarice. X. Lorota, Ilustradora, . XI. Drumond, Marcos Paulo, Toy Art.

CDU 82-93
CDD 028.5
___

Catalogação elaborada por Ruth Simão Paulino

Impresso na gráfica RR Donnelley

Primeira edição, Novembro de 2017.
Proibida a reprodução no todo ou em parte,
por qualquer meio, sem autorização do editor.
Direitos exclusivos da edição em língua portuguesa no Brasil por:

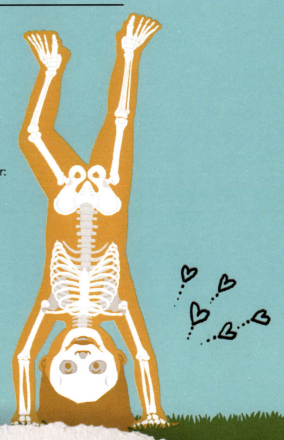

Lume Livros Editora Ltda - ME.
Rua Sebastião Rodrigues 303 - Vila Madalena
CEP 05451-060- São Paulo - SP
Tel. +55 11 37914719
contato@lumelivros.com
www.lumelivros.com